U0293473

1551820075

中华人民共和国住房和城乡建设部
中华人民共和国国家发展和改革委员会

城市社区应急避难场所建设标准

建标 180—2017

2017 北 京

城市社区应急避难场所建设标准

建标 180—2017

主编部门：中 华 人 民 共 和 国 民 政 部
批准部门：中华人民共和国住房和城乡建设部
　　　　　中华人民共和国国家发展和改革委员会
施行日期：２ ０ １ ７ 年 ６ 月 １ 日

中 国 计 划 出 版 社

2017　北　京

中华人民共和国住房和城乡建设部

中华人民共和国国家发展和改革委员会

城市社区应急避难场所建设标准

建标 180—2017

☆

中国计划出版社出版发行

网址:www.jhpress.com

地址:北京市西城区木樨地北里甲 11 号国宏大厦 C 座 3 层

邮政编码:100038　电话:(010)63906433(发行部)

三河富华印刷包装有限公司印刷

850mm×1168mm　1/32　1.375 印张　31 千字

2017 年 4 月第 1 版　2017 年 10 月第 3 次印刷

☆

统一书号:155182·0075

定价:12.00 元

版权所有　侵权必究

侵权举报电话:(010)63906404

如有印装质量问题,请寄本社出版部调换

住房城乡建设部　国家发展改革委
关于批准发布《城市社区应急避难
场所建设标准》的通知

建标〔2017〕25 号

国务院有关部门,各省、自治区、直辖市、计划单列市住房城乡建设厅(建委、建设局)、发展改革委,新疆生产建设兵团建设局、发展改革委:

根据住房城乡建设部《关于下达 2012 年建设标准编制项目计划的通知》(建标〔2012〕192 号)要求,由民政部组织编制的《城市社区应急避难场所建设标准》已经有关部门会审,现批准发布,自 2017 年 6 月 1 日起施行。

在城市社区应急避难场所建设项目的审批、核准、设计和建设过程中,要严格遵守国家关于严格控制建设标准、进一步降低工程造价的相关要求,认真执行本建设标准,坚决控制工程造价。

本建设标准的管理由住房城乡建设部、国家发展改革委负责,具体解释工作由民政部负责。

中华人民共和国住房和城乡建设部
中华人民共和国国家发展和改革委员会
2017 年 1 月 16 日

前　　言

　　《城市社区应急避难场所建设标准》是根据住房城乡建设部《关于下达 2012 年建设标准编制项目计划的通知》(建标〔2012〕192 号)的要求,由民政部组织有关单位共同编制的。

　　在编制过程中,编制组依据《中华人民共和国突发事件应对法》《中华人民共和国防震减灾法》《中华人民共和国防洪法》和《自然灾害救助条例》以及中国地震局《关于推进地震应急避难场所建设的意见》等法律、法规和政策文件,在全国不同地区进行了广泛深入的调查研究,总结了各地城市社区应急避难场所建设的经验教训,在科学论证与分析的基础上,形成了本建设标准的征求意见稿,经广泛征求有关方面的意见、反复修改形成了送审稿,经专家审查会通过后,进一步修改完善形成报批稿,并经住房城乡建设部、国家发展改革委批准发布。

　　本建设标准共分六章,包括总则,建设规模与项目构成,选址与规划布局,面积指标,场地、建筑与设施和主要技术经济指标。

　　在执行本建设标准过程中,请各单位注意总结经验、积累资料,如发现需要修改和补充之处,请将意见和有关资料寄交民政部规划财务司(地址:北京市东城区北河沿大街 147 号,邮政编码:100721),以便今后修订时参考。本建设标准的解释工作由民政部规划财务司负责。

主 编 部 门:中华人民共和国民政部
主 编 单 位:中国建筑标准设计研究院有限公司
参 编 单 位:中国城市规划设计研究院
　　　　　　　中国建筑科学研究院
　　　　　　　北京工业大学抗震减灾研究所
编制组成员:宫蒲光　冯亚平　庞陈敏　刘　健　缪　丽

　　　　　胡俊锋　　刘　伟　　肖　鑫　　王　进　　郁银泉
　　　　　詹　谊　　张树君　周祥茵　曾德民　孙　兰
　　　　　朱思诚　李引擎　张靖岩　马东辉　李端文
　　　　　刘　帆　　宋欣婷
主要起草人:张树君　孙　兰　　周祥茵　朱思诚　刘　帆
　　　　　宋欣婷　李端文

目　　录

第一章　总　　则

第一条　为加强和规范城市社区应急避难场所建设,科学合理地确定建设内容和规模,提高建设项目决策和工程建设管理水平,充分发挥社会效益和投资效益,提升城市社区应急救助能力,制定本建设标准。

第二条　本建设标准是城市社区应急避难场所项目投资决策和控制建设水平的全国统一标准,是编制、评估和审批城市社区应急避难场所项目建议书、可行性研究报告和初步设计的重要依据,也是有关部门对项目建设全过程进行监督检查的基准。

第三条　本建设标准适用于新建、改建和扩建的城市社区应急避难场所项目。

　　本建设标准所称城市社区应急避难场所是指为应对突发性灾害,用于避难人员疏散和临时避难,具有一定规模的应急避难生活服务设施的场地和建筑。

第四条　城市社区应急避难场所建设应遵循"以人为本、安全可靠、平灾结合、就近避难"的原则,合理确定建设规模,满足发生突发性灾害时的应急救助和保障社区避难人员的基本生存需求。

第五条　城市社区应急避难场所建设应符合所在地城市规划要求,统一规划,一次或分期实施。

第六条　城市社区应充分利用社区周边的防灾资源和现有的城市应急避难场所,实现资源共享,满足就近避难的需求。

第七条　城市社区应急避难场所宜与社区公共服务设施统筹建设,充分发挥综合服务功能和服务效益。

第八条　城市社区应急避难场所建设除应符合本建设标准外,尚应符合国家现行有关标准、指标和定额的规定。

第二章　建设规模与项目构成

第九条　城市社区应急避难场所建设规模应依据社区规划人口或常住人口数量确定。

第十条　城市社区应急避难场所建设规模的分类宜符合表 1 的规定。

表 1　城市社区应急避难场所建设规模分类表

类　别	社区规划人口或常住人口（人）
一类	10000～15000
二类	5000～9999
三类	3000～4999

注：1　对于 3000 人以下的社区，可参照三类指标要求建设应急避难场所。

　　2　对于 15000 人以上的社区，可参照相近分类指标要求分点建设应急避难场所。

第十一条　城市社区应急避难场所项目应包括避难场地、避难建筑和应急设施。

第十二条　避难场地应包括应急避难休息、应急医疗救护、应急物资分发、应急管理、应急厕所、应急垃圾收集、应急供电、应急供水等各功能区。

第十三条　避难建筑应由应急避难生活服务用房和辅助用房构成。其中，生活服务用房宜包括避难休息室、医疗救护室、物资储备室等，辅助用房宜包括管理室、公共厕所等。

第十四条　应急设施应包括应急供电、应急供水、应急排水、应急广播和消防等。

第三章　选址与规划布局

第十五条　城市社区应急避难场所的选址应符合所在城市居住区规划,遵循场地安全、交通便利和出入方便的原则,并应符合下列规定:

　　一、应选择地势较高、平坦、开阔、地质稳定、易于排水、适宜搭建帐篷的场地;

　　二、应避开周围的地质灾害隐患和易燃易爆危险源;

　　三、应选择利于人员和车辆进出的地段;

　　四、应选择便于应急供水、应急供电等设施接入的地段。

第十六条　城市社区应急避难场所宜优先选择社区花园、社区广场、社区服务中心等公共服务设施进行规划建设,并应符合避难场地和避难建筑的要求。

第十七条　城市社区应急避难场所的服务半径不宜大于 500m。

第十八条　城市社区应急避难场所应有两条及以上不同方向的安全通道与外部相通,通道的有效宽度不应小于 4m。

第四章 面 积 指 标

第十九条 城市社区应急避难场所的避难场地与避难建筑面积指标应符合表2的规定。

表2 城市社区应急避难场所面积指标表

建设规模分类 面积指标	一类	二类	三类
避难场地面积(m²)	10000~15000	5000~9999	3000~4999
避难建筑面积(m²)	200~300	100~199	99

注:1 表列避难场地面积与社区规划人口或常住人口相对应,并按1m²/人确定,人口数在范围中间者采用插值法计算。

2 人口数在范围中间者,避难建筑面积采用插值法计算。

3 避难建筑平均使用面积系数按0.68计算。

第二十条 避难场地各功能区面积指标宜符合表3的规定。

表3 应急避难场地面积指标表(m²/人)

场 地 名 称	面 积 指 标
应急避难休息区	0.900
应急医疗救护区	0.020
应急物资分发区	0.020
应急管理区	0.005
应急厕所	0.015
应急垃圾收集区	0.010
应急供电区	0.015
应急供水区	0.015
合 计	1.000

注:1 表中避难场地面积指标为参考值,各地可根据项目实际需要在总使用面积范围内适当调整。

2 应急避难休息区包括每个避难休息区之间的人行通道面积。

第二十一条 避难建筑的各类用房使用面积所占比例宜符合表4的规定。

表4 避难建筑各类用房使用面积所占比例表（%）

用 房 名 称		使用面积所占比例		
		一类	二类	三类
生活服务用房	避难休息室	41	40	38
	医疗救护室	15	15	17
	物资储备室	22	20	17
辅助用房	管理室	7	9	10
	公共厕所	15	16	18
合 计		100	100	100

注：表中避难建筑各类用房使用面积所占比例为参考值，各地可根据项目实际需要在总使用面积范围内适当调整，或根据实际需要减少用房类别。

第五章　场地、建筑与设施

第二十二条　避难场地宜根据社区规划人口或常住人口数划分若干应急避难休息区,每个避难休息区人数不宜大于 2000 人,且每个避难休息区之间应采用宽度不小于 3m 的人行通道作为缓冲区进行分隔。

第二十三条　避难场地的应急医疗救护区、应急物资分发区和应急管理区宜设置在硬质地面上。

第二十四条　避难建筑宜为低层建筑。与社区公共服务设施合建时,避难休息室和医疗救护室应设置在建筑物底层,并应符合无障碍设计要求。

第二十五条　避难建筑应符合建筑工程抗震设防分类标准和建筑抗震设计规范规定,其抗震设防标准为重点设防类。

第二十六条　避难建筑的防火等级不应低于二级。有关安全出口的数量和消防设施的配置应符合建筑设计防火规范的相关规定。

第二十七条　避难场地应配置给水接入管,给水接入管应与市政供水管连接。

第二十八条　避难场地宜结合现有生活污水排水设施设置应急厕所,配置污水管并与市政污水管连接,无条件连接的可设置污水存放池。蹲位数量宜按 2 个/千人设置,必要时也可增加移动式简易厕所。

第二十九条　避难场地和避难建筑的供电电源应优先利用周边建筑的供电电源,也可设置专用的户外预装式变电站。供电容量应满足各功能区照明和设备运行的需求。

第三十条　一类和二类避难场地宜就近设置专用的配电柜(箱),配电柜(箱)应采取抗震、防雨水、防晒、防冻、防电击等防护措施。

供配电线路宜敷设预留到避难场地各功能区。避难建筑宜按二级及以上负荷供电，避难建筑的照明和用电设备应安装到位。避难场地和避难建筑应设置应急照明。

第三十一条 避难场地和避难建筑的防雷措施应符合建筑物防雷设计规范的规定。

第三十二条 避难场所宜设置应急垃圾收集点。

第三十三条 避难场所应设置区域位置指示与警告标识，并宜设置场所设施标识。应急避难场所各类标识的具体尺寸、材质、图形应符合防灾避难场所设计规范的规定。

第六章　主要技术经济指标

第三十四条　城市社区应急避难场所建设前期可参照表 5 的指标估算建设投资，并根据工程实际内容及价格变化的情况，按照动态管理的原则调整。

表 5　城市社区应急避难场所建设投资

	类别	建安投资（万元）	总投资（万元）
避难场地	一类	70～90	80.85～103.95
	二类	55～70	63.53～80.85
	三类	50～55	57.75～63.53
	类别	单位造价指标（元/m²）	综合造价指标（元/m²）
避难建筑	一类		
	二类	2600	2990
	三类		

注：1　单位造价指标仅包括建安费用。避难场地的造价包括避难场地内应急供电、给排水管线敷设、功能区（应急医疗救护区、应急物资分发区和应急管理区）场地硬化、应急厕所建造、各类应急避难标识制作等费用，不含土石方、绿化等费用。

　　2　综合造价指标除单位造价指标外，还包括设计、监理、建设单位管理费等工程建设其他费用和预备费。

　　3　本表估算指标系参照《北京市建设工程计价依据——预算定额》（2012）计取的同类工程造价指标以及 2014 年～2015 年北京地区的设备、材料、劳动力价格测算。各地工程应按照当地相应工程造价进行测算。

第三十五条　城市社区应急避难建筑建设前期可参照表 6 的指标估算建设工期。

表6 城市社区应急避难建筑建设工期

类别	建筑面积(m²)	建筑层数(层)	工期(d)
一类	200~300	1~2	90~105
二类	100~199	1~2	90~105
三类	99	1	90

注:1 工期参照《建筑安装工程工期定额》,工期包括结构、装修、设备安装全部工程内容。

2 工期定额按照全国各类地区情况综合考虑,由于施工条件不同,允许各地有15%以内的定额水平调整幅度。

本建设标准用词和用语说明

1 为便于在执行本建设标准条文时区别对待，对要求严格程度不同的用词说明如下：

1）表示很严格，非这样做不可的：

正面词采用"必须"，反面词采用"严禁"；

2）表示严格，在正常情况下均应这样做的：

正面词采用"应"，反面词采用"不应"或"不得"；

3）表示允许稍有选择，在条件许可时首先应这样做的：

正面词采用"宜"，反面词采用"不宜"；

4）表示有选择，在一定条件下可以这样做的，采用"可"。

2 条文中指明应按其他有关标准执行的写法为："应符合……的规定"或"应按……执行"。

附　件

城市社区应急避难场所建设标准

建标 180—2017

条 文 说 明

目　　录

第一章 总 则

第一条 本条阐明制定本建设标准的目的和意义。

我国城镇化进程不断加快,城市面临的灾害风险日益加大,必须高度重视和加强城市防灾减灾工作。应急避难场所是城市建设的一部分,在《中华人民共和国突发事件应对法》《中华人民共和国防震减灾法》《中华人民共和国防洪法》和《自然灾害救助条例》等法律法规和部门规定中,明确提出要提高城市社区应急救助能力,减少灾害风险,快速、妥善地安置受到灾害威胁或危害的人员,使城市社区应急避难场所建设做到安全适用、经济合理。

本建设标准的编制和实施,可进一步加强和规范城市社区应急避难场所的建设,提高投资效益和社会效益,更好地发挥城市社区应急避难场所的防灾减灾功能和应急救助能力。

第二条 本条阐明本建设标准的作用和权威性。

本建设标准从满足政府投资项目的审批需要、规范工程项目建设行为、合理确定投资规模和建设水平、充分发挥投资效益出发,严格按照工程建设标准编制的规定和程序,深入调查研究、总结实践经验,进行科学论证,广泛听取有关单位和专家意见,确保编制质量,使工程项目的建设水平达到最佳秩序、获得最佳效益,同时兼顾地域、社区人口数量等方面的差异,做到切合实际、便于操作。因此,本建设标准是城市社区应急避难场所建设的全国统一标准。

第三条 本条阐明本建设标准的适用范围。

本建设标准主要对城市社区应急避难场所建设要求进行了规定。城市社区应急避难场所是经规划、建设与规范化管理,具有应急避难服务设施,为社区居民提供紧急、快速、就近、安全避难的安全场所,是避难人员紧急疏散或临时安置的安全场所,也是避难人员集合并转移到固定避难场所的过渡性场所。

城市社区应急避难场所由相互依赖的空间组成,承担和发挥社区防灾救灾的功能,应具有功能良好的社区空间结构和完善的社区防灾救灾设施,以满足灾前、灾时和灾后各阶段的防灾救灾工作。考虑到社区规模和各地实际情况,分别需要新建、改建和扩建应急避难场所。改建和扩建的工程项目也应按照本建设标准的规定执行,并以满足防灾减灾需要、保障社区居民的人身安全及基本的避难生存为原则。

当前,我国应急避难场所建设处于初始发展阶段。对于既有社区,受条件、空间限制,可根据实际情况和可利用的空间,按照本建设标准要求建设应急避难场所。当建设的应急避难场所不能满足社区人员需要时,则应利用周边的应急避难场所。

第四条 本条阐明城市社区应急避难场所建设的指导思想和总体要求。

城市社区应急避难场所的建设必须贯彻"预防为主、防灾、抗灾、避灾、救灾相结合"的方针。

根据避难需求分析,城市社区在临灾时需要为社区居民提供一些就近避难的场所,尤其要增强高层住宅密集社区应对突发事件的救助能力,确保受灾群众的基本生存。

避难场所通常是与开敞空间或公共设施共同利用,单纯避难功能的场所很少,因此应遵循"以人为本、安全可靠、平灾结合、就近避难"的原则。避难场所建设中平灾结合是其核心。避难场所建设除需要满足避难功能要求外,还需要充分保留应急避难场所平时状态下的使用功能。通过应急设施与平时设施的共享,合理、有效、节约利用资源,做到平时功能和灾时功能的共容。由于社区避难场所主要是利用社区公共空间和公共设施,这些公共空间和公共设施平时具有教育、文化活动、健身、休闲等功能,灾时具有医疗救护和救灾物质保障等功能才转为避难人员避难使用。因此,社区应急避难场所必须同时兼顾这两种功能,实现两者之间的转换,保证平时和灾时都可以使用。

第五条　本条阐明本建设标准的基本要求。

根据《中共中央办公厅、国务院办公厅关于加强和改进城市社区居民委员会建设工作的意见》,要求将社区居民委员会工作用房和居民公益性服务设施建设纳入城市规划、土地利用规划和社区发展相关专项规划。为此,城市社区应急避难场所建设应纳入所在地城市规划要求,并与所在地居住区配套公共建设项目统一规划,且应符合节约用地、节能减排和保护环境的要求。

第六条　本条明确了城市社区应急避难场所和城市应急避难场所的关系。

城市社区应急避难场所是城市应急避难场所的组成部分。城市社区应结合周边的各类防灾和公共安全设施及市政基础设施的具体情况,有效整合场地空间和建筑工程,形成有效、安全的防灾空间格局。

城市社区应充分利用社区周边的公园、绿地、广场、学校、体育场等,实现资源共享,节约建设成本。如各类学校的应急设施比较健全,有避难疏散所必需的供水、供电、通信等基本条件,操场、绿地和空地易于搭建简易的临时房屋和帐篷,又有较好的防火条件,适合作为避难场所。在我国,学校建筑最接近避难建筑的要求。当城市社区周边有城市应急避难场所,并能够满足社区应急避难需求时,可不另建社区应急避难场所。

城市社区范围内某些特殊的地形地貌、树林、水体等也可以保留或稍加改造作为既有社区防灾资源,既节约建设成本,又可以使社区具有地域特色和场所归属感。社区内大面积湿地、水体不仅成为社区优美的景观环境,还具有很好的防灾隔灾防御功能。因此,在既有社区防灾救灾空间改造中,应尽量保留利用社区内原有的防灾资源。

20 世纪 80 年代以来,尤其是依据现行国家标准《城市居住区人民防空工程规划规范》GB 50808 新建的人防工程具有相对完善的生活设施,具有容纳疏散人员和设备的空间,是能为城市避难人员提供食宿、医疗、物资储备及其他生活必需的场所,考虑了战时防空需要,也满足了一定救灾应急的需要。但由于人防工程功能性质不同,不能代替本建设标准的城市社区应急避难场所。

第七条 本条明确了城市社区应急避难场所建设中应注意的问题。

鉴于社区公共服务设施内容多、设施建设涉及范围广,为整合资源,避免资源浪费,提高使用效益,本建设标准强调在社区公共服务设施项目建设中,应统筹安排,发挥社区服务的综合效益,提高服务能力。

第八条 本条阐明本建设标准与国家有关标准及定额的关系。

第二章　建设规模与项目构成

第九条　城市社区应急避难场所服务于社区所有避难人员,需满足社区所有避难人员的紧急避难需求。就近避难是其必须遵循的原则。

对于新建社区,考虑居民尚未全部入住,可按规划户数和每户户均人口确定避难人员;对于既有社区,则按社区常住人口确定避难人员。

在《国务院关于调整城市规模划分标准的通知》中,明确常住人口包括:居住在本乡镇街道,且户口在本乡镇街道或户口待定的人;居住在本乡镇街道,且离开户口登记地所在的乡镇街道半年以上的人;户口在本乡镇街道,且外出不满半年或在境外工作学习的人。依此可认为城市社区常住人口是指有固定居所、长期(或定期)居住在辖区内的人员,包括取得居住证的外来人口。

社区规划人口和常住人口是城市社区应急避难场所的主体服务人群,因此,应以社区规划人口和常住人口数量作为确定建设规模的基本依据,并以此确定避难场地、避难建筑面积和应急设施规模。

第十条　本条明确了城市社区应急避难场所建设项目分类。

城市社区应急避难场所建设项目按照社区规划人口或常住人口数量分为三类,以满足城市社区应急避难场所防灾减灾的基本功能需求和提高城市社区应急救助能力。

《中国民政统计年鉴 2015》显示,全国 96693 个社区中,常住人口在 1000 户以下的社区占 39.3%,常住人口在 1000 户~3000户之间的社区占 44.5%,两者合计达到 83.8%,常住人口 3000 户以上的社区仅占 16.2%。第六次全国人口普查数据表明,我国平均家庭规模为 3.1 人。

现行国家标准《城市居住区规划设计规范》GB 50180 将居住区分为居住区、小区和组团,相应的居住户数和人口规模见附表1。

附表1 居住户数和人口规模

	居 住 区	小 区	组 团
户数(户)	10000~16000	3000~5000	300~1000
人口(人)	30000~50000	10000~15000	1000~3000

城市社区应急避难场所的规模一般属于居住小区和组团的规模范畴,范围在 1km² 之内,与居委会、社区管理衔接,便于平时的维护和灾时、灾后的使用管理。

可以看出统计年鉴和规范的规定基本一致。其中,5000人以下及10000人~15000人的社区在全部社区中占很大的比例。本建设标准以3000人~4999人作为建设规模起点(三类)。考虑到5000人~15000人这一区间跨度太大,故拆分为5000人~9999人(为二类)和10000人~15000人(为一类)两个区间。对于低于3000人的城市社区,从土地利用上不经济,一般不考虑建设应急避难场所,可利用城市公用应急避难场所,如若建设可参照三类面积指标要求。超过15000人的社区,考虑到应急避难场所的服务半径,应参照相近类别的面积指标要求分点进行应急避难场所建设。

当需要救助的人员超过社区应急避难场所容纳的人数时,则应利用上一级的应急避难场所,将需要救助的人员转移至上一级的应急避难场所。

第十一条 本条明确了城市社区应急避难场所的项目构成。

城市社区应急避难场所可选择场地和建筑工程,并应配置应急避难所需的应急设施。

避难场地是可供应急避难或临时搭建帐篷和临时服务设施的空旷场地。

避难建筑是为老弱病残孕及受伤等避难人员提供宿住或休息和其他应急保障及使用功能的建筑。

应急设施是避难场所内配置的用于保障避难人员生存的设

施,包括应急供电、应急供水、应急排水、广播等设施,满足应急照明、供排水和信息传达要求。

社区应急避难场所宜以避难场地为主。社区的绿地、广场、小游园或活动场地等可以作为避难场地,满足就地疏散避难的需要。日本在防灾避难场所的建设实践中,将面积在 $500m^2$ 左右的街心花园作为应急避难场地,并在地震中发挥了积极作用。

城市社区应急避难场所建设应因地制宜。在一些已经建成的社区增建应急避难场所,或对既有场地或建筑进行改造加固成为社区应急避难所,也应满足本建设标准对避难场地、避难建筑的面积指标和安全防护以及应急设施建设等的规定。

第十二条 本条明确了避难场地的项目构成。

避难场地的项目构成以满足避难人员临时基本生存需求为原则。

避难场地需要考虑避难人员的承受能力、聚集人员的安全和人员流动的需要而设置应急避难休息区。避难休息区是具有一定面积的平坦场地,可以保证基本避难活动的空间,可搭建帐篷和临时服务设施,用于一般气候条件下的防寒、防风、防雨雪。

应急医疗救护区用于对受伤人员的一般清理包扎、注射配药、等待转运等简单医疗救护活动。

应急物资分发区以存放、分发救灾物资为主,救灾物资主要有食品、饮用水、被褥及简单日用品等。

避难场地应急管理区以现场应急指挥调度为主,确保现场各项救灾工作的有序开展。

避难场地还包括应急厕所、应急垃圾收集,以及应急供电、应急供水等设施功能区。应急厕所可为通槽式水冲厕所,平时用混凝土盖板或铸铁盖板盖上,灾时打开使用。

第十三条 本条明确了避难建筑的项目构成。

避难建筑内应设置避难人员避难休息室、医疗救护室、物资储备室等生活服务用房和管理室、公共厕所等辅助用房。

避难休息室用于老弱病残孕和受伤人员的休息。

医疗救护室主要用于一般清理包扎、注射配药、等待转运等简单医疗救护活动。

物资储备室用于储备应急物资。

公共厕所平时和灾时均可使用,灾时无须转换。开水供应可利用饮水机,并可放置在避难建筑的任何部位,故辅助用房未包括开水间。

避难建筑可利用社区公共服务设施,前提是必须满足建筑抗震、防火等安全要求,平时发挥社区公共服务设施功能,灾时作为避难建筑使用。必要时也可与附近的旅馆、商场、超市、药店、学校、仓库等业主单位签订协议提供住宿、餐饮、医疗、储备物资等服务。

第十四条 供电、给水排水、广播和消防等设施是保障社区应急避难场所运行和避难人员生存必需的应急设施。

设置应急供电设施是为了保障避难场所照明及应急设备的运行。有条件设置独立的发电机房时,用地面积可按 $20m^2$ 考虑。

设置供水设施主要通过设置应急储水或取水装置,保障避难场所内水源的可靠性。社区避难场所的供水区用于供水车停车、储水罐和供水装置设置,上述设施按一般规格,可设置在 $10m \times 8m$ 的空间内。如供水规模扩大,主要增加储水罐容量即可,此时需要增加的供水区面积有限。

设置排水设施主要是排除避难场所的雨水及公共厕所的排污。要求排水设施能迅速、及时地将场所内的雨水排出,以免避难功能区周边区域积水影响应急功能发挥。

应急广播和通信系统的设置,主要用于为避难人员提供灾情情报,发生危险时,可迅速通知危险区域的避难人员,指导避难行动和避难休息。应急广播和通信系统以利用周边建筑现有资源为主。应急广播可现场利用移动式扩声器,不需要埋设管线。

设置消防设施如消火栓、灭火器等,是为了应对突发的火灾等次生灾害。应急消防用水可采用应急市政供水系统或社区内天然水系。

第三章 选址与规划布局

第十五条 本条是对城市社区应急避难场所选址安全性的要求，主要目的是灾害发生时减少、消除危险性，把灾害风险控制在最小范围内，确保避难人员的安全。

城市社区应急避难场所应选择地势较高、地质条件稳定，植被以疏林、草地为主，空旷，易于排水，适宜搭建帐篷的场地。对于下沉式绿地、广场应采取相应的排水措施。

避难场地应避开可能发生滑坡、崩塌、泥石流等危险的地方，应避开易燃、易爆、有毒危险物品存放点，严重污染源以及其他易发生次生灾害的区域。

考虑避难人员能顺畅进入避难场所或向外疏散转移，要求避难场所应选择在避难人员和外部救援人员、物资、车辆顺利进出的地段。

应急供水管网是保障避难人员生存、休息和消防需要的重要设施，需与应急城市供水管网有可靠的连接，保障避难时的供水。

应急供电是保障医疗卫生救护、应急设施基本运行的重要设施，通过与市政供电系统有可靠的连接或利用避难场所周边已有的供电设施，保障应急设施的运转需求。

第十六条 根据避难场地功能，需要具备空间、地形地貌、环境等基本条件。社区的中心花园、绿地、广场等公共空间和设施大多符合社区避难场地的基本条件。

通过对社区公共空间和公共设施进行改造建设，增加应急设施、服务设施及安全方面的设施，达到避难场所的功能要求。

第十七条 本条为城市社区应急避难场所的服务半径要求。城市社区应急避难场所的服务半径一般应以避难人员步行到达避难场所入口的距离确定。

本建设标准规定城市社区应急避难场所的服务半径不宜大于500m，这与现行国家标准《城市居住区规划设计规范》GB 50180规定的居住小区公共服务设施服务半径不大于500m是一致的。

第十八条 本条规定了城市社区应急避难场所的应急交通保障措施。

社区防灾救灾道路在灾害发生后，承担灾害救援运输、人员疏散和灾后避难的功能。

灾害往往可能导致建筑物倒塌、地面道路受阻、救灾通路瘫痪、单方向的救灾道路不能满足救灾要求。当有两条不同方向的道路时，一个方向的道路受阻，还会有另一方向道路保障人员流动与救灾物资运输的畅通。为此，要求有方向不同的两条及以上的道路与外部相通，相应的城市社区应急避难场所出入口的数量也不应少于2个。

城市社区应急避难场所设置安全通道并要求有一定的宽度，有利于灾时避难人员逃生和向外疏散，以及保障消防车的通行和配套设施、救援物资的运送，保障避难人员的基本生存。消防通道的有效宽度宜为4m～6m，且不宜设置尽端路，应满足消防车转弯半径的要求。

第四章　面　积　指　标

第十九条　本条规定了城市社区应急避难场所不同类别避难场地和避难建筑的面积指标。

考虑到灾害发生初期(3天以内),社区居民对灾害及次生灾害情况不清楚,防备能力不足,将全部需要进入到社区应急避难场所进行避难,即避难人数就是社区全部人口。为此,各类避难场地面积按社区规划人口或常住人口数 $1m^2$/人计算。这与现行国家标准《城市抗震防灾规划标准》GB 50413 规定的人均有效避难面积不小于 $1m^2$ 是一致的。虽然,在现行国家标准《地震应急避难场所场址及配套设施》GB 21734 中规定Ⅲ类地震应急避难场所人均面积标准大于 $1.5m^2$,但考虑到应急避难时间不超过3天且社区用地面积有限又多利用社区的绿地、广场作为应急避难场地,因此本建设标准应急避难场地面积按人均用地标准为 $1m^2$ 计算。

本建设标准的城市社区应急避难场所是按社区规划人口或常住人口 3000 人~15000 人的规模考虑,这与现行国家标准《城市居住区规划设计规范》GB 50180 按人口规模划分是一致的。人口数 15000 人以上的城市社区应急避难场所面积,考虑到服务半径,可按照本建设标准相近分类规模执行,分点建设。人口数 3000 人以下的城市社区可利用城市公共应急避难场所,根据调研,3000 人以下的社区较少,且从土地利用上建设应急避难场所也不经济,如若建设,也应按照本建设标准的面积指标等要求。

避难建筑面积指标是根据现行国家标准《城市居住区规划设计规范》GB 50180 中公共服务设施项目设置要求确定的。公共服务设施中的社区服务包括社区服务中心(含老年人服务中心)、养老院、托老所、残疾人托养所、治安联防站、居(里)委会(社区用房)和物业管理,并规定每小区设置社区服务中心 1 处。

考虑到应急避难建筑可以与社区服务中心($200m^2 \sim 300m^2$)、居(里)委会($30m^2 \sim 50m^2$)合建,面积指标为 $100m^2 \sim 300m^2$,其中一类应急避难建筑面积为 $200m^2 \sim 300m^2$,与现行国家标准《防灾避难场所设计规范》GB 51143 规定避难建筑面积不宜小于 $200m^2$ 是一致的,该规范还规定应急医疗卫生不宜小于 $36m^2$、应急物资储备不宜小于 $36m^2$,如再加上公共厕所和管理室面积,共计 $200m^2 \sim 300m^2$,对于社区人口为 5000 人～9999 人的二类社区避难建筑面积定为 $100m^2 \sim 199m^2$。同样,对于社区人口为 3000 人～4999 人的三类社区避难建筑面积定为 $99m^2$。

人口数量在范围中间者,避难场地和避难建筑面积采用插值法计算。

第二十条 本条规定了避难场地应急避难休息区、应急医疗救护区、应急物资分发区、应急管理区、应急厕所等各功能区的用地面积指标。

依据现行国家标准《防灾避难场所设计规范》GB 51143,应急避难休息区的面积可按人口数 $0.7m^2$/人预留,可保证避难人员站立或坐下。考虑到每个休息区之间设置的人行通道缓冲区面积,以及公共活动面积,本建设标准应急避难休息区的面积按 $0.9m^2$/人,即按 $900m^2$/千人预留。依据现行国家标准《防灾避难场所设计规范》GB 51143,人行通道缓冲区的宽度应根据其分隔聚集避难人数确定,且人数小于或等于 2000 人时,不宜小于 3m;人数大于 2000 人且小于或等于 8000 人时,不宜小于 6m。

现行国家标准《防灾避难场所设计规范》GB 51143 还规定医疗卫生面积不宜小于 $36m^2$,物资分发面积不宜小于 $36m^2$。

本建设标准规定医疗救护区面积按人口数 $20m^2$/千人配置。

物资分发区面积按人口数 $20m^2$/千人配置。考虑到救灾物资到达避难场地后会及时分发到避难人员手中,不大可能全部储存在物资分发区,面积不够时,可利用应急管理区。救灾物资主要有食品、被褥及简单日用品等。

在全国综合减灾示范社区标准中,明确规定社区要备有必要的应急物资,包括救援工具(如铁锹、担架、灭火器等)、通信设备(如喇叭、对讲机等)、照明工具(如手电筒、应急灯等)、应急药品和生活类工具(如棉衣被、食品、饮用水等)。

应急管理区面积按 $5m^2$/千人配置,也符合现行国家标准《防灾避难场所设计规范》GB 51143 管理服务点面积按不小于每万人 $50m^2$ 的规定。

应急厕所面积为 $10m^2$/千人。现行行业标准《城市公共厕所设计标准》CJJ 14 规定的三类场所每蹲位建筑面积为 $4m^2 \sim 6m^2$,包括大便蹲位、走道宽度所占面积。如按每蹲位建筑面积 $5m^2$ 计,则蹲位数为 20 时,其面积为 $10m^2$/千人。不满足要求时,可增加移动式简易厕所。

另外,应急厕所外还考虑了设置水嘴盥洗的面积,为 $5m^2$/千人。

考虑到避难人员多、应急管理尚不完善和灾后卫生防疫的要求,避难场地应设置应急垃圾收集区,按 $10m^2$/千人设置。

避难场地的应急照明,在电力电网没有电的情况下,应考虑用发电机或蓄电池供电,占地面积按 $15m^2$/千人考虑。

避难场地的应急供水,当应急供水采用供水车供水时,一般规格的供水车停车、储水罐和供水装置可设置在 $10m \times 8m$ 的空间内。考虑到上述装置周围避难人员的使用空间,可按 $150m^2$ 预留面积,即面积按 $15m^2$/千人考虑。

第二十一条 本条明确了避难建筑各类用房使用面积所占比例。建筑使用面积系数按 0.68 计算。当一类建筑面积为 $300m^2$ 时,使用面积为 $204m^2$;二类建筑面积为 $199m^2$ 时,使用面积为 $136m^2$;三类建筑面积为 $99m^2$ 时,使用面积为 $68m^2$。各类生活服务用房使用面积和辅助用房使用面积测算分别见附表 2 和附表 3。

附表 2　生活服务用房使用面积测算表(m²)

房 间 名 称	使 用 面 积		
	一类	二类	三类
避难休息室	84	54	26
医疗救护室	30	21	12
物资储备室	45	27	12
合　计	159	102	50

附表 3　辅助用房使用面积测算表(m²)

房 间 名 称	使 用 面 积		
	一类	二类	三类
管理室	15	12	6
公共厕所	30	22	12
合　计	45	34	18

　　附表 2 和附表 3 中避难建筑各类用房使用面积所占比例为参考值,各地可根据项目实际需要在总使用面积范围内适当调整,或根据实际需要减少用房类别。

第五章　场地、建筑与设施

第二十二条　本条是对避难场地避难区人数的要求。考虑避难人员的承受能力、大规模聚集人员的安全和人员流动的需要,每个避难区避难人数不宜大于 2000 人,且每个避难区之间应留有宽度不小于 3m 的人行通道作为缓冲区进行分隔。

第二十三条　本条是对避难场地的应急医疗救护区、应急物资分发区和应急管理区地面的要求。

当利用社区绿地作为避难场地时,要求应急医疗救护区、应急物资分发区和应急管理区设置在硬质地面上,以利于上述功能区的使用。当然,在社区绿地除绿化种植外,还会有道路、居民休闲和活动及交往的空间,以及儿童的游戏场地等,往往会进行地面铺装,应使平时功能和应急避难功能结合,最大地发挥其使用功能,并提高使用效率。

当利用社区广场作为避难场地时,地面无须进行硬化处理。

第二十四条　本条是对避难建筑的要求。

婴幼儿、高龄老人、行动困难的残疾人、孕妇和伤病员等特定人群的避难和防护要求与正常人群有很大差异,需有专门用于特定人群的避难建筑。

避难建筑的主要功能是解决老弱病残孕的避难休息,以及保障一般受伤人员的临时救护需求,故宜为 3 层及以下的低层建筑。由于避难建筑规模不大,为节约土地资源宜与社区其他公共服务设施合建,提高使用效益。当公共服务设施为高层建筑时,避难建筑应设置在低层部分。为方便使用,避难休息室和医疗救护室应设在建筑物底层,并应符合无障碍设计要求,满足残疾人、老年人、伤病员等老弱病残孕弱势群体需求,如设置坡道和无障碍厕位等。

第二十五条　本条对城市社区应急避难建筑的房屋结构抗震强度

提出要求。灾害发生时,要不影响避难建筑应急功能的使用,不危及避难人员的生命安全。

设置社区应急避难场所的主要目的是灾害发生时减少、消除危险性,把灾害风险控制在最小范围,确保避难人员的安全。如果避难建筑本身存在较大的安全隐患,不能避难,就失去了其使用价值。

本建设标准按现行国家标准《建筑工程抗震设防分类标准》GB 50223 将避难建筑的抗震设防类别规定为不低于重点设防类。考虑到避难建筑的特殊性和设防目标要求,适当提高避难建筑的抗震性能,减轻地震破坏程度特别是主要结构构件的破坏程度是必要的。

第二十六条　本条是对避难建筑防火提出的要求。灾害发生时,要不影响避难建筑应急功能的使用,不危及避难人员的生命安全。

第二十七条　在选择避难场地时,应考虑该区域是否有市政给水管,以利于避难场地的给水设施预留接口,灾害发生时,方便与之连接。应为避难场地预留市政给水管,可结合社区现有市政给水管,在避难场地合适地点设置给水阀门井或洒水栓井等。

根据避难场地的设计使用时间和服务的人数确定饮用水的储水量。瓶装水由于方便调配、储存和分发使用,可优先作为储备水。提供的桶装水或储水罐车水的水质应符合生活饮用水标准。

为满足避难人员基本的卫生需要,宜结合现有卫生设施设置洗手盆或盥洗槽。参照现行国家标准《地震应急避难场所场址及配套设施》GB 21734 在设施配置方面的规定,应急避难场所应保障应急供水设施,避难人员每 100 人至少设 1 个水嘴。

第二十八条　为满足避难人员基本的卫生需要,应设置应急厕所。生活污水、垃圾、粪便等应充分考虑卫生防疫要求,安全、就近排入市政设施或进行临时集中处理处置,确保公共安全。应急厕所可为通槽式水冲厕所,平时用混凝土盖板或铸铁盖板盖上,灾时打开并围挡起来使用。避难场地应预留与市政排污管的接口,灾害发生时方便排污管道接入城市市政排污管。应急厕所必要时也可采

用简易式移动厕所补充。参照新建住宅区公共厕所蹲位数设置指标为每千人 2 位～8 位,本建设标准可按每万人 20 个蹲位数设置,且由于避难时间短,不再考虑男女分设。每个厕位与周围空间面积按 5m² 考虑,则需 100m²,不满足使用要求时,可增加移动式简易厕所。通槽式水冲厕所应具备水冲能力,并附设或单独设置化粪池。应急厕所也可是避难区域内或邻近的现有固定厕所。应急厕所距离避难区宜为 30m～50m,且应设置在避难场地的下风向。

避难场地宜优先使用附近符合设防要求的建筑物内的公共厕所。

第二十九条 避难场地的供电电源以利用周边既有建筑现有电源的供配电设施为主,可节省建设投资和运维费用。有条件的社区也可设置专用的户外预装式变电站。当周边建筑的供配电设施在自然灾害中遭破坏不能供电时,可使用专设的户外预装式变电站供电,也可使用临时设置的发电机或 UPS/EPS 装置供电。

第三十条 一类和二类避难场地就近设置的专用配电柜(箱),电源可从周边建筑的供配电设施引接,也可接自专设的户外预装式变电站、临时设置的发电机或 UPS/EPS 装置。专用的配电柜(箱)设置在室外是为了在应急情况下使用方便,做好防护可提高平时的运维效率,提高使用时的可靠性和安全性。避难场地供配电线路预留管线分两部分:一部分是从周边建筑的供配电设施敷设到避难场地的配电柜(箱),一部分是从配电柜(箱)敷设到各功能区。预留管线是为了避难场地用电设备使用时接线方便、快捷。预留管线应按设计文件施工。

避难建筑的应急照明、工作照明和用电设备应安装到位。为保障避难建筑的用电安全、可靠,有条件的宜按二级及以上负荷供电。当避难建筑与社区其他配套建筑共建时,本条只对避难建筑的供电提出要求。

应急照明是维持避难场地秩序良好的基本保障。当周边建筑的供配电设施不能供电时,临时设置的发电机或 UPS/EPS 装置

应优先考虑急应照明的供电。应急照明可采用有线供电，也可采用移动式蓄电池供电的照明灯具。蓄电池供电的照明灯具受供电时间限制，只能解决短时供电。

第三十一条 避难场地和避难建筑的防雷措施是一项必做的保障人身安全和用电设备运行安全的防护措施。全国各地的年预计雷击次数不一样，防雷措施也不同。防雷分类及措施在现行国家标准《建筑物防雷设计规范》GB 50057 中已有明确规定，设计及建设方应按规范执行。

第三十二条 考虑到避难人员多、应急管理尚不完善和灾后卫生防疫的要求，避难场所应设置垃圾收集点。

第三十三条 城市社区应急避难场所需要设置引导周边人员避难的标识、应急功能分区标识和道路指示标识及应急设施标识等，便于避难人员快速适应环境、安全避难和准确找到配套应急设施所在位置。

在全国综合减灾示范社区标准中，明确要求在应急避难场所、关键路口等设置醒目的安全应急标志或指示牌，引导居民快速找到避难场所。避难场所标有明确的救助、安置、医疗等功能分区。

应急避难场所各类标识的具体尺寸、材质、图形见现行国家标准《防灾避难场所设计规范》GB 51143。

第六章　主要技术经济指标

第三十四条　单位造价指标仅包括城市社区应急避难场所中避难建筑的建安工程费用。避难场地的造价包括用于避难场地内管线敷设、应急厕所建造、各类应急避难标识制作等费用。

综合造价指标除单位造价指标外,还包括设计、监理、建设单位管理费等工程建设其他费用和预备费。

应急供水、应急供电管线与市政接口按 200m 计算。

第三十五条　本条中城市社区应急避难场所的建设工期分为避难场地和避难建筑的建设工期。

S/N:155182·0075

统一书号:155182·0075

定　　价：12.00元